DEADMAN WONDERLAND
MANGA DE JINSEI KATAOKA ET KAZUMA KONDOU

DEADMAN WONDERLAND

Volume 3

TABLE DES MATIÈRES

Manga de JINSEI KATAOKA et KAZUMA KONDOU

Book design par Tsuyoshi Kusano

Épisode 9 – LA FLEUR DU MENSONGE	1
Épisode 10 – BIG BAD BINGO	47
Épisode 11 – PASSÉ ET FIN INÉLUCTABLE	95
Épisode 12 – SCAR CHAIN	143
Bonus	192

IL FAUT QUE J'ATTEIGNE LE BUT QUE JE ME SUIS FIXÉ...!

... ÇA NE ME REGARDE PAS...

NE REPENSE PLUS À CE QUE TU AS VU...

MINATSUKI...

SOIS PATIENTE, JE NE VAIS PAS TARDER À VENIR TE SAUVER...

BIP

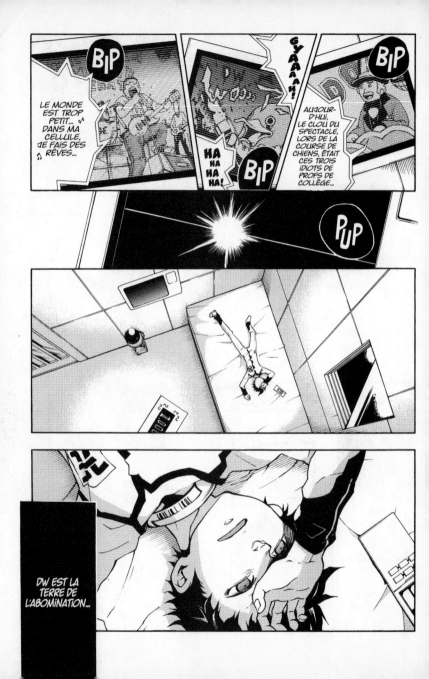

... C'EST LA PRÉSENCE DE SHIRO ET DE YÔ QUI ME FAISAIT OUBLIER LES ATROCITÉS DE CES LIEUX...

MOI QUI PENSAIS AVOIR COMPRIS...

EN FAIT...

CE BINOCLARD DE MALHEUR M'A DIT QU'IL LEUR AVAIT LAISSÉ LA VIE SAUVE, MAIS...

J'ESPÈRE QU'ILS VONT BIEN...

KYARI!

GAN

C'EST UNE VOIX DE FEMME...

JE SUIS DÉSO-LÉE...

!

C'EST LA NANA D'HIER...

AR-RÊÊTE

9

IGARASHI, C'EST BIEN ÇA ?

JE TE REMERCIE POUR CE QUE TU VIENS DE FAIRE...

EUH...

OUI... DÉSOLÉE...

C'EST MIEUX QUE RIEN...

C'EST TA CHAMBRE ?

TOI, JE SAIS QUE C'EST MINATSUKI...

TU PEUX M'APPELER GANTA.

C'EST BEAUCOUP PLUS NATUREL.

DE TOUTE FAÇON...

AH... CE N'EST RIEN...

JE SUIS VRAIMENT DÉSOLÉE, TU AS SACRIFIÉ TON REPAS POUR MOI...

... DEPUIS CE QUI EST ARRIVÉ À SENJI, J'AI PERDU L'APPÉTIT...

12

BOBOM

BOBOM

BOBOM

REPRENDS-TOI, MON VIEUX, CE N'EST PAS LE MOMENT DE PENSER À ÇA...

MAIS... TIENS ?

ELLE EST SI DOUCE...

KAAAAAN

ALLEZ, TROUVE QUELQUE CHOSE À LUI DIRE...

ÇA...

JE NE LE SENS PAS DU TOUT...

MAIS JE SUIS DANS LA CHAMBRE D'UNE FILLE...

ÇA SENT BON, NON ?

14

COMME TOI, IL ÉTAIT TRÈS GENTIL ET AVAIT LE CŒUR PUR...

J'ESPÈRE QU'IL VA BIEN...

MON GRAND FRÈRE AIMAIT BEAUCOUP CES FLEURS.

LES FLEURS...

MAIS BIEN SÛR, LES FLEURS...

BOBOM BOBOM

IL ÉTAIT TRÈS INQUIET, LORSQUE J'AI ÉTÉ INCARCÉRÉE...

CRAIGNANT DE BLESSER DES GENS, JE VIVAIS RECLUSE CHEZ MOI...

C'EST POUR ÇA QUE JE SUIS INTROVERTIE COMME ÇA...

JE...

... CONNAIS L'EXISTENCE DE MON POUVOIR DEPUIS TRÈS LONGTEMPS DÉJÀ.

ZIP

FLIP

...?!

...

IL ÉTAIT
AUSSI
FRÉQUENT
QUE MON
PÈRE ME
BATTE...

HEUREUSEMENT
QUE MON
FRÈRE ME
PROTÉGEAIT.

22

ME VOILÀ DANS DE BEAUX DRAPS...!!

PURÉE... C'EST MAINTENANT QUE JE ME RENDS COMPTE QUE J'AURAIS DÛ APPRENDRE PLUS DE TRUCS AUPRÈS DE YAMAKATSU...!

UN INSTANT, LÀ...

QU'EST-CE QUI M'ARRIVE ...?!

ÉCHAP...

BON SANG ! QU'EST-CE QUE JE DOIS FAIRE ?!

QUE FAIRE ...?

BOBOM BOBOM BOBOM BOBOM BOBOM BOBOM BOBOM BOBOM

23

ÉCHAPPONS-NOUS DE CETTE PRISON !

J'AI LE SENTIMENT QUE, MÊME EN ME BATTANT, JE N'AURAI AUCUNE CHANCE DE RENCONTRER L'HOMME EN ROUGE...

BUP

BEN OUI...!

LE CARNIVAL CORPSE EST UNE ABOMINA-TION...

ÉCHAPPONS-NOUS D'ICI...

HEIN ?

JE VEUX QUE TU VIENNES AVEC MOI.

JE TE PROTÉGERAI !

CLOP

CLOP

?!

Gele

SHDAAAM

GANTA, REGARDE ...!!

...

JE PENSE QUE C'EST PAR ICI...

30

...

TOUT ÇA POUR VOS OBJECTIFS À LA NOIX...

JE PENSE QUE VOUS ALLEZ ADORER LE CARNIVAL CORPSE D'AUJOURD'HUI...

LE PIC-VERT   HUMMING BIRD

STIP
ズ...

LE JEUNE GANTA AUSSI, D'AILLEURS...

!

J'AIME BEAUCOUP HUMMING BIRD, ELLE EST UN PEU COMME CETTE POUPÉE...

TADAAAAAM

BONJOUR À TOUS ! ET VOICI, SANS PLUS ATTENDRE, LA DERNIÈRE NOUVEAUTÉ DE DEADMAN WONDERLAND : LE CARNIVAL CORPSE !!

WAAAAH !!

CARNIVAL CORPSE

BIAK

... LA CHARMANTE COMPAGNIE DE MASARU SUKEGAWA, REPRÉSENTANTE DES DEADMEN...

C'EST MOI QUI ASSURERAI LES COMMENTAIRES EN...

STUF

QUE LES CHAMPIONS SE PRÉSENTENT SUR LE RING !

EXCUSEZ-MOI POUR CETTE ERREUR... JE VOULAIS DIRE CHOPPLINE SUKEGAWA.

QU'EST-CE QUE ...?

À QUI LA DÉESSE DE LA VICTOIRE ACCORDERA-T-ELLE SES FAVEURS ?!

LE MATCH SE DÉROULERA EN TROIS ROUNDS DE TROIS MINUTES CHACUN !

!

STAP

HE, TOI ! REVIENS IMMÉDIATEMENT À TON POSTE !!

?!

WAAAAH !!

... JE...

JE SAIS QUE LE MOMENT EST MAL CHOISI, MAIS...

DÉSOLÉ...

?!

...?!

?!

?!

?! ?!

OOOOOH !

WAOUH !
C'EST HUMMING
BIRD QUI PREND
LES DEVANTS !
SA TECHNIQUE
EST SI RAPIDE
QU'ON NE LA VOIT MÊME
PAS VENIR !!

ROUND

LÂCHEZ-MOI !!

ON DIRAIT QU'IL SE PASSE QUELQUE CHOSE...!!

?!

QUE ...?!

... JE CROIS QUE TU NE POURRAS PAS TE MONTRER AUSSI RÉSISTANT QU'AU MOMENT DE TON MATCH CONTRE SENJI.

EN RAISON DE LA BLESSURE QUE TU T'ES FAITE HIER À CAUSE DE MOI ET...

... AVEC CE QUE TU VIENS DE TE PRENDRE ...

QUELLE BLESSURE ...?!

DEAD
MAN WONDER LAND

DEAD
MAN WONDER LAND

DEAD
MAN WONDER LAND

LORSQUE J'AI VU LA TRISTESSE SUR LE VISAGE DE MA SŒUR, J'AI COMPRIS.

C'EST VRAI...

J'AI SU QUE MA MÈRE AVAIT PÉRI ÉCRASÉE ET QU'IL ME FAUDRAIT PRENDRE SOIN DE MA SŒUR.

TOUT IRA BIEN...

PUIS, À MON TOUR, JE SUIS DEVENU UN MENTEUR...

ILS SONT FRÈRE ET SŒUR...?

YÔ...?

BIP BIP

02

FWAP

UNE INTRUSION ?

BIIIP

PEUH...

SI SEULEMENT LE VIEUX POUVAIT CREVER, JE POURRAIS AVOIR ACCÈS À TOUT CE QUI TOUCHE À CETTE EXPÉRIENCE...

YÔ...

QUE FAIS-TU ICI ?

MINATSUKI... TU ES DONC UNE DES LEURS, TOI AUSSI...

Hi
Hi...

IL SAIT QU'IL NE FERA RIEN, PUISQU'ILS SONT AMIS.

IL EST VRAIMENT IDIOT...

DÉCIDÉMENT, MON FRÈRE EST GÉNIAL.

JE VAIS LE CHARCUTER JUSQU'À CE QUE SES OS VOLENT EN ÉCLATS !

DE CETTE FAÇON, IL NE ME RESTE PLUS QU'À UTILISER MON FOUET TRANCHANT POUR LE TUER...

FWOH

FWOH

MON SEUL ET UNIQUE SOUCI EST DE TE PROTÉGER.

JE ME FICHE COMPLÈTEMENT DE CE QUE TU ES DEVENUE...

...

FLAT

JE VAIS TE RENVOYER DANS TES CABINETS À MANGER LA MÊME CHOSE QUE TES AMIS LES CAFARDS !

NON SEULEMENT TU N'ES QU'UN PERVERS, MAIS, EN PLUS, TU DOUTES DE MOI ?

QU'EST-CE QUE TU M'CHAN- TES ?

JE CROIS QUE J'AI JAMAIS AUTANT PRIS MON PIED QUE MAINTENANT !!

AAARGL ! JE N'EN PEUX PLUS !!

MINA-TSUKI...

JE N'AI PAS D'AUTRE CHOIX QUE D'AGIR AINSI... QUE TU LE VEUILLES OU NON...!

58

VU QUE TU N'ES PAS FICHU DE ME DONNER CE QUE JE VEUX, TU NE M'ES D'AUCUNE UTILITE.

MAIS TAIS-TOI DONC...

FROOO⁵⁵!!

...!!

... JE NE LUI EN VEUX PLUS.

ET MÊME S'IL M'A ROULÉ...

...

JE PEUX DIRE SANS ME TROMPER QU'IL M'A SAUVÉ LA VIE PLUS D'UNE FOIS.

ET JE NE VAIS PAS HÉSITER UNE SECONDE À LUI VENIR EN AIDE.

TOUT SIMPLEMENT PARCE QUE NOUS SOMMES AMIS !

TU AS LA TÊTE D'UN DE CES SALES HYPOCRITES QUI PASSENT LEUR TEMPS À DIRE QU'ILS ÉTAIENT HEUREUX AVANT D'ARRIVER ICI.

ZWON

TU N'ES QU'UN IDIOT INDÉCROT-TABLE...

...

PIK

CE SONT LES PIRES MENTEURS !!

ET CE GENRE DE TYPES SE DÉBINE TOUJOURS AU DERNIER MOMENT.

PLAS

PLAK

BAAAM

BAAAM SU

SI ÇA CONTINUE COMME ÇA...

HA...

HA...

BON SANG... ELLE EST TELLEMENT RAPIDE QUE JE NE PARVIENS PAS À ANTICIPER SES COUPS...

¡IDIOT !

BEUUUUUH...

SI JE NE M'ÉTAIS PAS FAIT BLESSER EN TOMBANT DANS TON PIÈGE...

ESPÈCE DE...

C'EST MOI QUE TU TRAITES DE MENTEUR ?

SENJI...?

ET POUR NE PAS ARRANGER LES CHOSES, C'EST UNE GONZESSE...

TON POUVOIR N'EST PAS DU TOUT ADAPTÉ POUR LUI FAIRE FACE...

FAUT DIRE QUE TU TE BATS CONTRE MINA-TSUKI...

OUI, MAIS LÀ, ÇA CRAINT POUR TOI, MEC...

TU ES EN VIE...

ELLE N'A AUCUN PROBLÈME POUR SAVOIR OÙ TU VAS FRAPPER !

OUAIS... ET PUIS LES TIRS DE TON GANTA GUN SONT TROP RECTILIGNES, C'EST POUR ÇA QUE T'AS DU MAL...

QUE CE SOIT UNE FEMME N'ENTRE PAS EN LIGNE DE COMPTE, MAIS...

... SON FOUET...

MON GANTA GUN...?

SERS-TOI DE TA TÊTE...

C'EST VRAI QUE SES COUPS SONT FOUDROYANTS, MAIS ILS VIENNENT TOUS DU MÊME ENDROIT !

ÇA N'A PAS ÉTÉ TRÈS DIFFICILE DE DONNER UN NOM À TON POUVOIR...

OUI, C'EST TON POUVOIR...

LE PROBLÈME EST QUE SI J'ESSAIE QUOI QUE CE SOIT, ELLE SE SERVIRA DE YÔ COMME BOUCLIER.

SES CHEVEUX...

DU MÊME ENDROIT...

HEIN ?

ET ALORS ? RIEN À CIRER, SI ?

PAS QUESTION ! C'EST MON POTE !!

T'AS PAS LE DROIT DE PERDRE...

JE TE RAPPELLE QUE C'EST TOI QUI M'AS BATTU...

M'EN-FIN...

Qu'est-ce que je fous ici ?

DANS CE CAS, J'PEUX RIEN POUR TOI... BON COURAGE, GANTA IGARASHI...

...

WAAAAAH !!

KIIIIN

ROUND 3

DERNIER ROUND !!

UN INSTANT...!!

ZWON ZWON

DE TOUTE FAÇON, MES TIRS NE PEUVENT QU'ÊTRE DROITS...

QU'A-T-IL VOULU DIRE...?

...NE SIGNIFIE PAS QUE ÇA DOIT TOUCHER CE QU'IL Y A DEVANT MOI...!

TIRER DROIT DEVANT MOI...

LES IDIOTS COMME TOI, J'EN FAIS DES BOULETTES DE VIANDE !

MAIS, NOM D'UN CHIEN !! UTILISE TON GANTA GUN !!

son ganta gun ?

C'EST... C'EST NUL, CE NOM ...!

COMME CETTE ESPÈCE DE POURRITURE DE TRAÎNÉE QU'ÉTAIT NOTRE MÈRE !

BON SANG...

... J'Y SUIS PRESQUE... !

JE SUIS SÛR QUE C'EST TOI QUI AS TUÉ MAMAN...

MINA-TSUKI...

JE M'EN DOUTAIS...

C'ÉTAIT PAS MA MÈRE, ÇA...

HEIN ?

IL LUI A FAIT PERDRE L'ÉQUILIBRE ET LÂCHER SON OTAGE !!

ESPÈCE DE MORPION !!

ZUT ! ELLE A ESQUIVÉ UN COUP !

QUE COMPTES-TU FAIRE, MAINTENANT QUE TU ES PIEDS ET POINGS LIÉS ?

OOOH ! ELLE EST PARVENUE À NEUTRALISER LA TECHNIQUE DU PIC-VERT AVEC SON AUTRE FOUET !!

JE VAIS TE RÉDUIRE EN CHARPIE...

78

CET ENFANT M'AMUSE...

LE SANG DES IGARASHI COULE DANS SES VEINES...

HÉ HÉ...

OHÉ !

TU ES RÉVEILLÉE, N'EST-CE PAS ?

SHIRO...

...

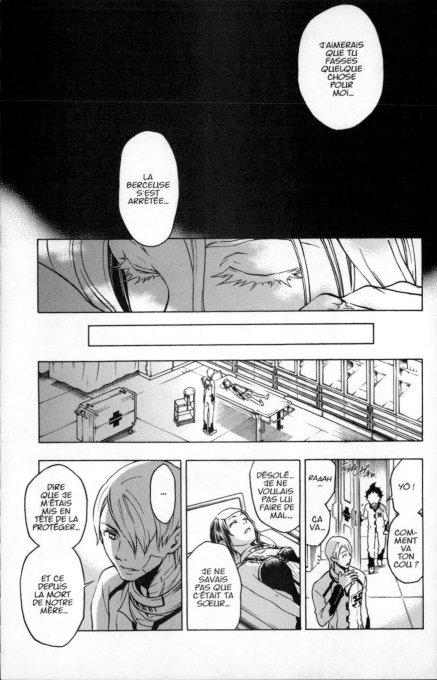

CE N'EST PAS VRAI...

J'ARRIVE !

AIDE-MOI À DÉPLACER ÇA.

QU'EST-CE QUE...? QUELLE EST CETTE SECOUS-SE...?

ESPÈCE DE SALE MENTEUR.

HÉ ! COMMENT ÇA "RIEN DE GRAVE" ?

N'OUBLIE PAS QUE JE SUIS TON FRÈRE.

MOUAIS...

ET TOI, GANTA, TU VAS BIEN ?

OUAIS !

...?

PAS TOUT À FAIT...

ILS ONT D'ÉTRANGES RELATIONS...

VAURIEN...!

DEAD
MAN
ONDER WO
LAND

DEAD
MAN
ONDER WO
LAND

BATÁM

ZAM
ザッ

ZAM
ザッ

UNE ENQUÊTE EST EN COURS...

EN ATTENDANT, RETOURNEZ DANS VOS CELLULES !

QUELLE ÉTAIT L'ORIGINE DE LA SECOUSSE DE TOUT À L'HEURE ?

DITES...

LES DÉGÂTS SONT ASSEZ IMPORTANTS, ICI AUSSI...

ALLEZ, VOUS NOUS GÊNEZ. REGAGNEZ VOS CELLULES !

CE N'ÉTAIT DONC PAS UN SÉISME ...?!

UNE ENQUÊTE ?

ALORS, GANTA !

BELLE VICTOIRE, MON VIEUX !!

SENJI ?

POURQUOI...? TU NE M'INVITES JAMAIS, TOI...

C'est par là...

ON SE FAIT DES RAMENS ? TU M'INVITES...

OUAIS !

Si bon... ! Pas cher... !

le plat du mois

* DW RAMEN.
= GYÔZA.

BON APPÉTIiT !

DWON

PAK
DW

Par la suite, il a arrêté, disant que ça lui causait quelques soucis.

Bref, parlons de toi...

POS-SIBLE...

SLURP

TU TROU-VES ?

AVANT, MASS EN MANGEAIT VINGT COMME ÇA, AVEC LE BOL...

C'EST ENOOORME !!

SCAP

TU MANQUES CRUELLEMENT DE TECHNIQUE.

TON MATCH CONTRE MINATSUKI...

... MONTRE QUE TU N'ES PAS ENCORE AU POINT.

Sujuuut

Ssssssut

EUH... T'AURAIS PAS PU TROUVER UN AUTRE NOM POUR MA TECHNIQUE ?

TU NE TE SERS QUE DE TES "GANTA BALLS..."

ACEMAN, LE GUERRIER ANTI-VIOLENCE ?! ÇA M'RAPPELLE DES TRUCS, ÇA !

CE N'EST PAS TRÈS ÉLÉGANT...

J'ADORAIS CETTE SÉRIE !

TU CONNAIS ÇA, TOI ?

PAR EXEMPLE, COMME UNE DES TECHNIQUES D'ACEMAN.

on le repasse à la télé...

* ACEMAN
LE GUERRIER ANTI-VIOLENCE

ON SE MARRAIT BIEN...

TOUT À L'HEURE, JE ME SUIS SOUVENU D'UNE VIEILLE AMIE ET...

... POUR AUTANT QUE JE SACHE, ELLE AIMAIT BEAUCOUP ACEMAN.

SLURP

J'ME LAISSE ALLER, LÀ...

HEIN ?

ARGN...

JE TROUVE ÇA TRÈS EXPÉDITIF !

CE QUE TU AS FAIT À LA FIN DU MATCH M'A BEAUCOUP PLU !

C'EST DONC LUI...

... LE PIC-VERT...

SHLLLN

VOILÀ...

SUPERVISEUR : TAMAKI TSUNENAGA
NOM DE L'UTILISATEUR :
MOT DE PASSE

IL NOUS EST DONC IMPOSSIBLE DE POURSUIVRE NOS RECHERCHES SUR LE CARNAGE DE LA TOUR DE SURVEILLANCE ET SUR LES DÉGÂTS OCCASIONNÉS À NECRO MACRO...

EN ESSAYANT DE FOUILLER UN PEU PLUS DANS LES DOSSIERS DE DW, NOUS NOUS SOMMES HEURTÉS À CE PROBLÈME DE MOT DE PASSE...

IL FAUT LE MOT DE PASSE DE M. TAMAKI.

107

ÇA NE FAIT QUE SIX ANS QUE CETTE INSTITUTION EXISTE, ET IL EST CLAIR QU'IL S'Y PASSE DES CHOSES ÉTRANGES...

JE VEUX BIEN ADMETTRE QUE VOUS NE CONNAISSIEZ PAS L'ORIGINE DE LA SECOUSSE DE TOUT À L'HEURE...

ELLE VA PÉTER UN CÂBLE... JE LE SENS...

HUM...

BIK

RVISEUR : TAMAI
UTILISATEUR
E PASSE

OUI, CHEF !

TU FWAP

SI VOUS ÊTES INCAPABLES DE MAINTENIR L'ORDRE DANS CES MURS, VOUS N'AVEZ RIEN À FAIRE ICI !!

VOS TÊTES NE VOUS SERVENT-ELLES QUE DE PORTE-CHAPEAUX ?!

IL EST DE NOTRE DEVOIR D'Y REMÉDIER !!

LA SITUATION EST ABSURDE, QUE DIS-JE, CONFUSE...!

QU'ONT DONNÉ LES RÉSULTATS D'ANALYSE DU JEUNE GANTA ?

LES RÉSULTATS D'ANALYSE SONT LÀ.

C'EST UNE SORTE DE CAPSULE.

... N'EST PAS TOUT À FAIT UN DIAMANT.

AH OUI... LE DIAMANT QU'IL PORTE AU NIVEAU DE LA POITRINE...

UNE FEMTOMACHINE, UN FOYER DE CE QUE L'ON APPELLE "VER INCONNU".

...!

NOUS AVONS EFFECTUÉ UN NOUVEL EXAMEN DES ÉLÉMENTS RETROUVÉS APRÈS LE GRAND TREMBLEMENT DE TERRE DE TOKYO.

COMME NOUS NOUS Y ATTENDIONS, NOUS AVONS DÉCOUVERT DES TRACES DE CE VER INCONNU.

TOUTEFOIS, CES ÉLÉMENTS SEMBLENT COMPLÈTEMENT DÉPOURVUS D'EFFETS...

CE N'EST PAS TOUT.

NOUS AVONS AUSSI DÉCOUVERT QUE LES GENS QUI ÉTAIENT DÉTENTEURS DE POUVOIRS ÉTAIENT ORIGINAIRES DE LA RÉGION DU KANTÔ ET SE TROUVAIENT LÀ OÙ IL Y AVAIT UNE GRANDE CONCENTRATION DE CETTE SUBSTANCE AU MOMENT DU TREMBLEMENT DE TERRE.

ON PENSE QU'ILS ONT ÉTÉ INFECTÉS EN ABSORBANT CE DIAMANT ROUGE QUI, À CE MOMENT-LÀ, DEVAIT SE PRÉSENTER SOUS UNE FORME DIFFÉRENTE.

MALHEU-
REUSEMENT,
NOUS NE
SOMMES PAS
EN MESURE DE
FABRIQUER
CE VER
INCONNU.

JE
VOIS...

Ffff Off...

SI
SEULEMENT
NOUS AVIONS
LA POSSIBILITÉ
D'EXAMINER
L'HOMME
EN ROUGE,
LE FOYER
INFECTIEUX
D'ORIGINE !

ON
CONNAÎT
LE
PRINCIPAL...

Flip Tic Tic Flip

M'EN-
FIN...

QU'EST-
CE
QUE TU
RACON-
TES...?

TU
SAIS BIEN
QUE C'EST
LE JOUJOU
DU GRAND
BOSS...

ET...
SERAIT-IL
POSSIBLE
DE PRODUIRE
DES ÊTRES
DOTÉS DE
POUVOIRS ?

... ET
NON LE
MIEN...

113

TOUT CECI N'EST QU'UN JEU, ET J'Y JOUE À MA FAÇON.

BLUP

KLAAASH

GROOOO

GROOOO

G2-07

G2-08

PURÉE ! J'EN AI MAAARRE !!

NE T'APPROCHE PAS DE MOI, ESPÈCE DE PERVERS !

NE T'ÉNERVE PAS ! JE SUIS JUSTE INQUIET POUR TOI...

MES BLESSURES NE SONT QUE SUPERFICIELLES ! JE SUIS ENCORE EN MESURE DE PRENDRE MA DOUCHE TOUTE SEULE !!

C'EST PLUTÔT À TOI D'ALLER TE FAIRE SOIGNER !

SPH'AM

AOUCH !

BATAM

118

CETTE... C'EST UN MONS...

OUI ?

GANTA...

...

ENFIN... SAIS-TU AU MOINS CE QU'ELLE EST ?

ES-TU SÛR DE BIEN LA CONNAÎTRE ?

C'EST VRAI QUE ÇA M'ÉTAIT COMPLÈTEMENT SORTI DE LA TÊTE, MAIS...

?

... C'EST EN FAIT UNE AMIE D'ENFANCE.

TU ME PARLES DE SHIRO ?

JE VEUX DIRE PAR LÀ QUE, MÊME LORS DE LA COURSE ET MÊME APRÈS...

MAINTENANT QUE J'Y REPENSE, JE ME RENDS COMPTE QU'ELLE A TOUJOURS ÉTÉ COMME ÇA.

HA HA !!

... ELLE EST TOUJOURS VENUE À MON AIDE.

VOILÀ L'HISTOIRE ...

LORSQUE JE LA REVERRAI... ... JE LUI DEMANDERAI PARDON DE L'AVOIR OUBLIÉE.

ELLE ME MANQUE...

IL NE SAIT PAS QU'EN RÉALITÉ C'EST UN MONSTRE...

IL NE SE DOUTE DONC DE RIEN...

...

DIS-MOI, GANTA...

JE...

IL NE FAUT PLUS QU'IL S'APPROCHE D'ELLE...!

JE NE VEUX PAS QU'IL LUI ARRIVE LA MÊME CHOSE QU'AUX AUTRES...

JE CROYAIS QUE TOUS MES AMIS AVAIENT ÉTÉ TUÉS...

JE ME FAIS DU SOUCI POUR MINATSUKI...

EXCUSE-MOI, JE TE LAISSE...

NON, RIEN...

BEN QUOI ? QU'EST-CE QUE TU AS ?

...

BATAM

A...

AH... COMME TU VEUX...

CLOP

DEADMA

WONDE

LAND

DEADMA

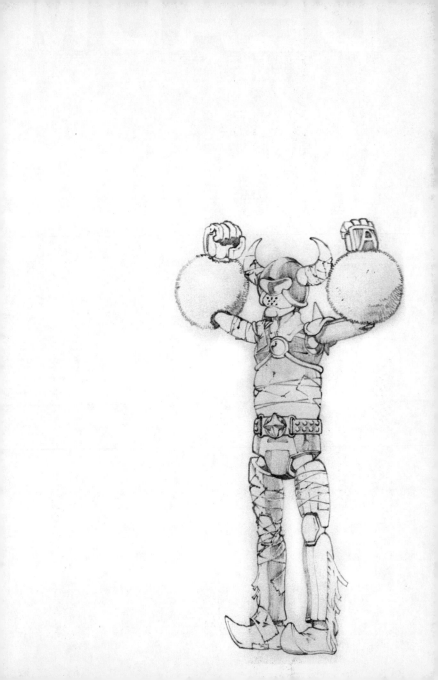

SHPAK

KOR.T!

PEUT-ÊTRE, MAIS IL A GAGNÉ PLUSIEURS MATCHS D'AFFILÉE !

ET IL A ENCORE TOUS SES MEMBRES !

JE COMPRENDS LE SENTIMENT DE KARAKO, MAIS... CE N'EST QU'UN ENFANT.

PLAK

...

ON NE SAIT RIEN DE LUI, CHEF ! VOUS ÊTES SÛR ?

ON NE SAIT RIEN DE LUI...

S'IL N'A PAS PEUR DE NOUS, JE NE VOIS PAS POURQUOI ON PRENDRAIT AUTANT DE RISQUES !

FLAK

BATAM

JE PENSE QU'ON PEUT FAIRE CONFIANCE À KARAKO.

LA MÉTÉO D'AUJOURD'HUI...

STOMP

5

9

GRRRRRR

TU SAVAIS QU'IL Y AURAIT UN JEU DE LA PUNITION, AUJOURD'HUI ?

APPAREMMENT, T'AS DÉCIDÉ D'EN FINIR AVEC LA VIE, TOI...

STOMP

BEN OUI !

NON ! TU TE MÉPRENDS SUR MON COMPTE !

JE NE SUIS PAS AUSSI NAÏVE QUE TOI, MON VIEUX.

ET ALORS ?

TU CROIS QU'IL FAUDRAIT INVITER MON FRANGIN POUR QU'IL VOIE ÇA ?

S'ILS ME PRENNENT MES REINS OU MON ESTOMAC, CE SERA LA FIN DES EXPÉRIENCES POUR MOI.

...

150

CE JEU EST UNE ABOMINATION...

JE ME DEMANDE S'IL N'Y A PAS UN MOYEN D'ARRÊTER ÇA...

MON FRÈRE EST ALLÉ À LA RECHERCHE DE CELUI QUI LUI A VOLÉ SES CP EN ME DISANT EXACTEMENT LA MÊME CHOSE.

... !

TRÈS BIEN ! JE TE REMERCIE.

JE VAIS FILER UN P'TIT COUP DE MAIN À YÔ !

MAIS OUI !

EN RACHETANT LA DURÉE DE TA PEINE AVEC SES CP, IL POURRA TE SORTIR DE CETTE PRISON AVANT QUE CE JEU N'AIT LIEU...!

SHPAAAN

?!!

TIENS
?

NON !
CE SONT
SES
MAINS...!!

ELLE M'A
FRAPPÉ
AVEC UNE
BATTE EN
MÉTAL OU
QUOI
?!

AOUCH !

HNG...

QU'EST-CE
QUE...?

ÇA
FAIT MAL,
HEIN ?

DÉSOLÉE...
JE CROYAIS
QUE TU
ESQUI-
VERAIS...

HAAAA...

EN TEMPS NORMAL, LES MOINES ONT AUSSI LE RÔLE DE CONSEILLERS AU SEIN DE CETTE PRISON.

...?

EST-CE UN MOINE ?

QUI EST CETTE ESPÈCE DE ZOUAVE...?

MGN...

JE NE SUIS PAS QU'UN MOINE...

JE SUIS LE SUPERMOINE !

...

AH OUI ! YÔ...

MÉFIE-TOI DE CE QUE TU PEUX ACHETER AVEC TES CP DANS LE SECTEUR G.

TOUS LES PRODUITS QU'ON Y VEND CONTIENNENT DU POISON.

...?

LES DÉTENUS DE CE SECTEUR CONSTITUENT UNE MATIÈRE PREMIÈRE TRÈS PRÉCIEUSE POUR NOS EXPÉRIENCES. JE NE VOIS PAS POURQUOI IL EN SERAIT AUTREMENT D'AILLEURS.

.....!!

QUE DITES-VOUS ?!

AU FAIT, AU SUJET DE TA SŒUR...

TU SAIS QU'ELLE VA PASSER AU JEU DE LA PUNITION ?

TOUTES CES ANNÉES...

ÇA VOUDRAIT DONC DIRE QUE...

... JE NE PEUX RIEN FAIRE POUR MINATSUKI ...?!

?!!

CE N'EST MÊME PAS UN DEADMAN.

TON HEURE N'EST PAS ENCORE VENUE.

ALLEZ, GENKAKU, NE PERDS PAS TON TEMPS AVEC LUI.

KEUF...

SCAR CHAIN EST UN GROUPE D'OPPOSANTS...

... DONT JE SUIS LE CHEF. MON NOM EST NAGI KENGAMINE, MAIS...

... TU PEUX M'APPELER NAGI.

TOUT À FAIT.

DES OPPOSANTS ?

NOUS ESTIMONS QUE LE SYSTÈME MIS EN PLACE PAR LE CHEF DE CETTE PRISON ET TAMAKI...

NOUS NOUS OPPOSONS À DEADMAN WONDERLAND, ENFIN, À SON SYSTÈME.

... EST UNE ABOMINATION ET NOUS NOUS SOMMES JURÉ DE L'ANÉANTIR !

IL Y A DANS LE SECTEUR G...

...DES GENS QUI PENSENT QUE TOUT CELA N'EST QUE PURE FOLIE...

ILS SONT COMME MOI...

...!

TU AS ÉTÉ SI SURPRENANT LORS DE TON MATCH...

DES GENS QUI ONT LA MÊME OPINION QUE MOI...!

JE ME DISAIS QUE TU COMPRENDRAIS PEUT-ÊTRE...

VU QUE J'AI ENCORE GAGNÉ UN MATCH, IL Y AURA UN NOUVEAU JEU DE LA PUNITION.

BEN...

EUH... JE SUIS DÉSOLÉ, MAIS...

ET JE VEUX À TOUT PRIX Y METTRE UN TERME.

JE DÉTESTE CE JEU SORDIDE...

... C'EST QUE J'AI AUTRE CHOSE À FAIRE, POUR L'HEURE...

GANTA... TOUT VA BIEN ?

POF

...

ET MOI QUI PENSAIS QU'UNE COUPE À LA GARÇONNE TE FERAIT PLAISIR...

ME SERAIS-JE TROMPÉ ?

C'EST LA PREMIÈRE FOIS QUE JE VOIS ÇA...! C'EST UN COUP MONTÉ !!

UN TRUC COMME ÇA NE PEUT PAS S'AFFICHER !!

C'EST PAS VRAI !!

GATAP

HIA

HIA

GATAP

SLO

BONK

BONK

ÇA ME FAIT PLAISIR DE VOIR QUE TU ES HEUREUX...

NAGI.

MERCI INFINIMENT...

JE SUIS VRAIMENT HEUREUX...

EUH... NA... NA...

ET PUIS...

... ÇA FAIT PARTIE DE NOS COMPÉTENCES.

JE N'AI RIEN FAIT D'EXTRA-ORDINAIRE. DISONS QUE...

... TU TE JOIGNES À NOUS, JEUNE IGARASHI.

... J'AIMERAIS VRAIMENT QUE, DANS UN PROCHE AVENIR ET POUR L'EXÉCUTION DE NOTRE PLAN...

Y A TELLEMENT DE BONNE HUMEUR ICI QUE ÇA ME DONNE ENVIE DE VOUS DONNER UNE BONNE CORRECTION.

COMME À LUI.

GENKAKU... ESPÈCE DE...

YO...!

...?

HEIN ?
QUE ?
QUI
C'EST ?

...!

JE
CONNAIS
LE NOM
DE CETTE
TECHNIQUE...

ULTRACHAOS,
HÉLICE À
ENDORPHINE,
KICK VERSION
ALPHA,
DÉFERLANTE
DE COUPS DE
POING !

DEADMAN WONDERLAND
3

JINSEI KATAOKA
KAZUMA KONDOU

STAFF

SAITANIYA RYÛICHI

SATÔ SHIJI

TAKE MAMORU

TAKAHASHI AI

TSUCHIYA TARÔ

NOGUCHI TOSHIHIRO

NOBE TAKAKO

À SUIVRE...
DANS LE VOLUME 4 !

L'HOMME IDÉAL

Ce manga est publié dans son sens
de lecture originale, de droite à gauche.

Ici, vous êtes

DEADMAN WONDER LAND volume 3

© Jinsei KATAOKA 2008
© Kazuma KONDOU 2008
First published in Japan in 2008 by KADOKAWA SHOTEN Publishing Co., Ltd., Tokyo.
French translation rights arranged with KADOKAWA SHOTEN Publishing Co., Ltd., Tokyo,
through TOHAN CORPORATION, Tokyo.

© KANA (DARGAUD-LOMBARD s.a.) 2010
7, avenue P-H Spaak - 1060 Bruxelles

Dépôt légal d/2010/0086/475
ISBN 978-2-5050-0839-2

Conception graphique : Milk Graphic Design
Traduit et adapté en français par Guillaume Abadie
Adaptation graphique : Eric Montésinos

Imprimé en Italie par LegoPrint - Lavis (Trento)